ARRUME A SUA CAMA

2ª edição
33ª reimpressão

WILLIAM H. McRAVEN

ARRUME A SUA CAMA

PEQUENAS ATITUDES QUE PODEM MUDAR A SUA VIDA ...E TALVEZ DO MUNDO

Tradução
Eliana Rocha

academia

Copyright © William H. McRaven, 2017
Copyright © Editora Planeta do Brasil, 2017, 2019
Título original: *Make your bed*

Preparação: Huendel Viana
Revisão: Olívia Tavares e Elisa Martins
Diagramação: Vivian Oliveira
Capa: André Stefanini

DADOS INTERNACIONAIS DE CATALOGAÇÃO NA PUBLICAÇÃO (CIP)
ANGÉLICA ILACQUA CRB-8/7057

McRaven, William H.
   Arrume a sua cama : pequenas atitudes que podem mudar a sua vida... e talvez o mundo / William H. McRaven ; tradução Eliana Rocha. – 2. ed. – São Paulo: Planeta, 2019.
   128 p.

ISBN: 978-85-422-1578-6
Título original: *Make your bed*

1. Desenvolvimento organizacional - Administração. 2. Liderança I. Título II. Rocha, Eliana

19-0366   CDD 658.406

Ao escolher este livro, você está apoiando o manejo responsável das florestas do mundo, e outras fontes controladas

2025
Todos os direitos desta edição reservados à
EDITORA PLANETA DO BRASIL LTDA.
Rua Bela Cintra, 986 – 4º andar
01415-002 – Consolação – São Paulo-SP
www.planetadelivros.com.br
faleconosco@editoraplaneta.com.br

*A meus três filhos: Bill, John e Kelly.
Nenhum pai poderia ter mais
orgulho de seus filhos do que eu.
Cada momento de minha vida se tornou
melhor porque vocês estão no mundo.*

*E para minha mulher, Georgeann,
minha melhor amiga, que tornou
possíveis todos os meus sonhos.
O que seria de mim sem você?*

Sumário

PREFÁCIO 9

CAPÍTULO 1. COMECE O DIA COM UMA TAREFA FEITA .. 13

CAPÍTULO 2. VOCÊ NÃO VAI CONSEGUIR SOZINHO 21

CAPÍTULO 3. TUDO O QUE IMPORTA É O TAMANHO
DO CORAÇÃO 31

CAPÍTULO 4. A VIDA NÃO É JUSTA: SIGA EM FRENTE! 41

CAPÍTULO 5. O FRACASSO PODE TORNAR
VOCÊ MAIS FORTE 49

CAPÍTULO 6. VOCÊ PRECISA OUSAR MAIS 61

CAPÍTULO 7. ENFRENTE OS TIRANOS 69

CAPÍTULO 8. MOSTRE-SE À ALTURA DA OCASIÃO 77

CAPÍTULO 9. DÊ ESPERANÇA ÀS PESSOAS 85

CAPÍTULO 10. NUNCA, JAMAIS, DESISTA! 95

AULA INAUGURAL NA
UNIVERSIDADE DO TEXAS...103

AGRADECIMENTOS 119

SOBRE O AUTOR...123

Prefácio

Em 21 de maio de 2014, tive a honra de proferir a aula inaugural dos alunos de graduação da Universidade do Texas, em Austin. Embora essa universidade seja minha *alma mater*, eu estava preocupado com a possibilidade de, sendo um oficial militar cuja carreira foi definida pela guerra, não encontrar boa acolhida entre os estudantes universitários. Mas, para minha enorme surpresa, os formandos abraçaram minha fala. Percebi que as dez lições que aprendi no treinamento das forças especiais da Marinha dos Estados Unidos, que eram a base de meu discurso, tinham um apelo universal. Eram simples lições que ensinam a superar os testes dos SEALS[1], mas que são igualmente importantes para enfrentar os desafios da vida – não importa quem você seja.

Nos últimos três anos, tenho sido parado na rua por companheiros que me contam suas histórias: como

---

1. "Sea, Air and Land", sigla derivada da capacidade de operar no mar, no ar e na terra. (N.E.)

escaparam de tubarões, por que não tocaram o sino, ou como arrumar a cama todas as manhãs os ajudou a superar tempos difíceis. Todos queriam saber como as dez lições me inspiraram durante minha carreira. Este livro é uma tentativa de responder a isso. Cada capítulo oferece o contexto das lições individuais e traz ainda uma curta história sobre algumas pessoas que me inspiraram com sua disciplina, perseverança, honra e coragem. Espero que gostem!

CAPÍTULO 1

Comece o dia com uma tarefa feita

Se você quer mudar o mundo...
comece arrumando a sua cama.

Os alojamentos do campo de treinamento dos SEALS constituem um indescritível edifício de três andares localizado na praia de Coronado, na Califórnia, a cerca de 9 quilômetros do oceano Pacífico. O prédio não tem ar-condicionado e à noite, com as janelas abertas, pode-se ouvir as ondas batendo contra a areia.

Os dormitórios do alojamento são espartanos. No dormitório dos oficiais, onde eu dormia com três colegas, havia quatro camas, um armário para pendurar os uniformes e nada mais. Naquelas manhãs em que vivi no alojamento, eu pulava de minha "prateleira" e imediatamente iniciava o processo de arrumar a minha cama. Era a primeira tarefa do dia. Um dia que, eu sabia, seria cheio de inspeções de uniformes, longos períodos de natação, longas corridas, pistas de obstáculos e constante censura dos instrutores do SEAL.

"Atenção!", gritou o líder da turma, o segundo-tenente Dan'l Steward, quando o instrutor entrou no dormitório. Aos pés da cama, bati um joelho contra o outro e me coloquei em posição de sentido quando o oficial se aproximou. O instrutor, inflexível e impassível, começou a inspeção checando a goma de meu quepe verde para se assegurar de que aquele "chapéu de oito bicos" estava crocante. Movendo-se de cima a baixo, seus olhos percorreram cada palmo do meu uniforme. Os vincos da túnica e das calças estavam alinhados? O metal do cinto brilhava como um espelho? Minhas botas estavam suficientemente polidas, de maneira que ele pudesse ver nelas o reflexo de seus dedos? Contente de verificar que eu satisfazia o alto padrão esperado de um aspirante do SEAL, ele passou a inspecionar a cama.

A cama era tão simples quanto o dormitório: nada mais que uma estrutura de aço e um colchão de solteiro. O lençol de baixo cobria o colchão, e sobre ele havia outro lençol. Um cobertor cinza de lã bem esticado sob o colchão fornecia calor nas noites frias de San Diego. Um segundo cobertor estava primorosamente dobrado em forma de retângulo aos pés da cama. Um único travesseiro, feito pela Lighthouse for the Blind,[2] estava no

---

2. Literalmente, "Farol para cegos", organização norte-americana que promove a independência e a educação de deficientes visuais. (N.T.)

alto da cama, perfeitamente alinhado com o cobertor dobrado nos pés. Esse era o padrão. Qualquer desvio nesse requisito poderia me levar ao "mergulho": cair na água e depois rolar na praia até ficar coberto de areia da cabeça aos pés – o que eles chamavam de "empanado de areia".

Sem me mexer, eu podia ver o instrutor pelo canto do olho. Com um ar de enfado, ele olhou para a minha cama. Curvando-se, verificou os cantos dos lençóis e supervisionou o cobertor e o travesseiro para se assegurar de que estavam corretamente alinhados. Então, tirou do bolso uma moeda e atirou-a no ar várias vezes, para certificar-se de que eu sabia que o teste final estava próximo. Com um último lançamento, a moeda voou bem alto e caiu sobre o colchão com um ricochete. Pulou alguns centímetros para cima, suficientemente alto para o instrutor agarrá-la com a mão.

Voltando-se para me encarar, o instrutor olhou dentro dos meus olhos e fez um aceno de cabeça. Nunca disse uma palavra. Arrumar a cama corretamente não seria motivo de elogio. Era o que se esperava de mim. Era minha primeira tarefa do dia, e executá-la bem era importante. Demonstrava disciplina. Revelava minha atenção ao detalhe e, no fim do dia, seria um lembrete de que eu havia feito uma coisa da qual poderia me orgulhar, não importa quão pequena fosse.

Durante toda a minha vida na Marinha, arrumar a cama foi uma tarefa com que eu podia contar todos os dias. Como um jovem SEAL a bordo do USS *Grayback*, um submarino de operações especiais, eu estava alojado na enfermaria, onde as camas eram empilhadas de quatro em quatro, umas em cima das outras. O velho médico da enfermaria insistia que eu arrumasse minha cama todas as manhãs. Sempre observava que, se as camas não estivessem arrumadas e o dormitório não estivesse limpo, como os marinheiros podiam esperar os melhores cuidados médicos? Como vim a descobrir mais tarde, essa crença na limpeza e na ordem se aplicava a todos os aspectos da vida militar.

Trinta anos mais tarde, as Torres Gêmeas vieram abaixo em Nova York. O Pentágono foi atingido, e bravos americanos morreram em um avião que sobrevoava a Pensilvânia.

Na época dos ataques, eu estava em casa, me recuperando de um grave acidente de paraquedas. Uma cama hospitalar tinha sido instalada em meu quarto e eu passava a maior parte do dia deitado, tentando me recuperar. Mais do que qualquer outra coisa, eu queria sair daquela cama. Como todos os SEALs, ansiava por estar na luta, ao lado de meus companheiros.

Quando finalmente tive condições de me levantar da cama sem ajuda, a primeira coisa que fiz foi esticar bem os lençóis, ajustar a posição do travesseiro e me certificar de que a cama hospitalar parecesse apresentável para todos os que entrassem em casa. Era a minha maneira de mostrar que tinha superado o acidente e que seguiria em frente na vida.

Quatro semanas depois do 11 de Setembro, fui transferido para a Casa Branca, onde passei os dois anos seguintes no recém-criado Escritório de Combate ao Terrorismo. Em outubro de 2003, eu estava no Iraque, em nosso alojamento temporário no aeroporto de Bagdá. Nos primeiros meses, dormíamos em camas de campanha do Exército. Apesar disso, todas as manhãs eu acordava, enrolava meu saco de dormir, arrumava o travesseiro no alto da cama e estava pronto para o dia.

Em dezembro de 2003, as forças norte-americanas capturaram Saddam Hussein. Ele foi mantido em confinamento numa sala pequena e também dormia em uma cama de campanha, mas com o luxo de lençóis e um cobertor. Uma vez por dia, eu visitava Saddam para me certificar de que meus soldados estavam lhe dando o tratamento adequado. Um tanto surpreso, notei que Saddam não arrumava sua cama. As cobertas estavam sempre amarrotadas aos pés da cama de campanha, e ele raramente parecia disposto a esticá-las.

Durante os dez anos seguintes, tive a honra de trabalhar com alguns dos melhores homens e mulheres que a minha nação já produziu – de generais a soldados rasos, de almirantes a marinheiros, de embaixadores a datilógrafos. Os americanos que serviam além-mar, no esforço de guerra, chegavam com total disposição, sacrificando muita coisa para proteger esta grande nação.

Todos eles entendiam que a vida é dura e que às vezes pouco se pode fazer para influenciar o resultado do dia. Na guerra, soldados morrem, famílias sofrem, nossos dias são longos e cheios de momentos de ansiedade. Procuramos algo que possa nos dar consolo, que possa nos motivar a iniciar o dia, que possa nos dar orgulho num mundo quase sempre horrível. Mas não é só o combate. É a vida cotidiana que precisa dessa sensação de organização. Nada pode substituir a força e o conforto da fé, mas às vezes o simples ato de arrumar a cama pode nos dar o estímulo de que precisamos para começar o dia e a satisfação de terminá-lo bem.

Se você quer mudar a sua vida, e talvez o mundo, comece arrumando a sua cama!

CAPÍTULO 2

Você não vai conseguir sozinho

Se você quer mudar o mundo...
encontre alguém que o ajude a remar.

No treinamento do SEAL, aprendi cedo a valorizar o trabalho em equipe e a necessidade de confiar em mais alguém para me ajudar a vencer as tarefas difíceis. Para aqueles de nós que éramos "girinos" na esperança de nos tornarmos homens-rãs, um bote de borracha de 10 pés era usado para nos ensinar essa lição fundamental.

Durante a primeira fase do treinamento, éramos obrigados a carregar o bote para todo lugar aonde íamos. Erguendo-o sobre nossas cabeças, saíamos correndo do alojamento e atravessávamos a rodovia em direção ao refeitório. Corríamos para cima e para baixo nas dunas de Coronado, curvados sob seu peso. Remávamos sem parar de norte a sul ao longo da costa, batendo contra a arrebentação, sete homens, todos trabalhando juntos para levar o bote a seu destino.

Porém aprendemos algo mais em nossas viagens no bote. Vez ou outra, um dos membros da tripulação estava doente ou ferido, incapaz de se doar 100%. Muitas vezes, eu me sentia exausto depois de um dia de treinamento, ou abatido por causa de um resfriado ou de uma gripe. Nesses dias, os outros assumiam a responsabilidade. Remavam com força máxima. Mergulhavam os remos mais fundo. Ofereciam-me suas rações para me dar uma força extra. E, quando era a minha vez, eu devolvia o favor. Aquele pequeno bote de borracha nos fez perceber que nenhum de nós conseguiria aguentar o treinamento sozinho. Nenhum SEAL seria capaz de combater sozinho. No final, todos precisamos de quem nos ajude a enfrentar as dificuldades em tempos difíceis.

* * *

Nunca a necessidade de ajuda foi mais evidente para mim do que 25 anos depois, quando comandei todos os SEALS da Costa Oeste.

Eu era o comodoro do Grupo One das Forças Navais Especiais em Coronado. Um capitão da Marinha. A essa altura, eu já passara décadas liderando os SEALS ao redor do mundo. Eu estava fora, em um salto de paraquedas de rotina, quando a situação se complicou terrivelmente.

Voávamos em um C-130 Hercules, a 3.600 metros de altitude, nos preparando para o salto. Pelo fundo da aeronave, pude ver um lindo dia californiano. Nenhuma nuvem no céu. O oceano Pacífico estava calmo, e, daquela altitude, podia-se avistar a fronteira do México a poucos quilômetros de distância.

O mestre de salto gritou: "Preparar!". Então, na ponta da rampa, pude ver o chão lá embaixo. O mestre me encarou nos olhos, sorriu e gritou: "Vá, vá, vá!". Mergulhei para fora da aeronave, com os braços totalmente estendidos e as pernas levemente dobradas para trás. A rajada de vento proveniente da hélice me empurrou para a frente, até que meus braços apanharam ar e eu estabilizei.

Verifiquei rapidamente o altímetro, para ter certeza de que não estava girando, e depois olhei em volta, para me certificar de que nenhum outro paraquedista estava perto demais. Em 20 segundos, eu tinha caído a uma altitude de 1.700 metros.

De repente, olhei para baixo e vi que um companheiro tinha deslizado por baixo de mim e interceptava meu caminho em direção ao solo. Ele puxou a corda do paraquedas, e pude notar o paraquedas-piloto liberando o velame principal da mochila. Imediatamente, apertei os braços dos lados do corpo, forçando a cabeça para baixo na tentativa de escapar do velame que eclodia. Tarde demais.

O velame explodiu diante de mim como um *airbag*, me atingindo a 190 quilômetros por hora. Meu corpo ricocheteou e rodopiou, fora de controle. Quase não senti o impacto. Por alguns segundos, rodopiei freneticamente, tentando recuperar a estabilidade. Como não conseguia ver o altímetro, não sabia a quanto eu havia caído.

Instintivamente, alcancei o cordão do paraquedas e o puxei. O paraquedas-piloto se soltou do pequeno bolso nas costas da mochila, mas se enrolou em minha perna enquanto eu continuava caindo em direção ao solo. Quando lutei para me desembaraçar, a situação piorou. O paraquedas principal foi acionado em parte, mas, com isso, se enroscou na outra perna.

Levantando a cabeça para o céu, pude ver que minhas pernas estavam amarradas pelas duas longas tiras de náilon que conectam o paraquedas principal ao sistema de segurança nas costas. Eu tinha um tirante enrolado em cada perna. O paraquedas principal estava completamente fora da mochila, mas preso a alguma parte do meu corpo.

Enquanto eu lutava para me livrar do enrosco, de repente senti o velame me puxar para cima e começar a se abrir. Quando olhei para minhas pernas, soube o que viria em seguida.

Em segundos, o velame se encheu de ar. As duas tiras, cada uma enrolada em uma perna, se romperam violentamente, levando minhas pernas com elas. Senti minha pélvis se rasgar ao meio. Os milhares de pequenos músculos que ligam a pélvis ao resto do corpo se romperam nas articulações.

Minha boca se abriu e deixou escapar um grito que poderia ser ouvido no México. Uma dor abrasadora percorreu meu corpo, enviando ondas pulsantes da pélvis à cabeça. Violentas convulsões musculares me atingiram no tronco, disparando mais dor para os braços e as pernas. Então, como em uma experiência de quase-morte, tive consciência do meu grito e tentei me controlar, mas a dor era forte demais.

Ainda de cabeça para baixo e caindo muito rápido, tentei endireitar o corpo, o que aliviou um pouco a pressão sobre a pélvis e as costas.

Estava agora a 500 metros.

Tinha caído mais de 1.200 metros antes que o paraquedas se abrisse. A boa notícia: eu tinha um velame totalmente aberto acima da cabeça. A má notícia: eu estava rasgado ao meio pelo impacto da abertura.

Aterrissei a mais de 3 quilômetros do ponto de pouso. Em poucos minutos, a equipe de salvamento e uma ambulância chegaram. Fui levado ao hospital de traumas no centro de San Diego. No dia seguinte, fui submetido a uma cirurgia. O acidente tinha rasgado minha bacia em quase 14 centímetros. Os músculos abdominais tinham se desprendido do osso pélvico, e os músculos das costas e pernas estavam gravemente danificados pelo choque.

Uma grande placa de titânio foi implantada em minha bacia, e um parafuso escapular fixado nas costas para me dar estabilidade. Parecia o fim da minha carreira. Para ser um SEAL eficiente, é preciso estar em boas condições físicas. Minha reabilitação levaria meses, talvez anos, e a Marinha teria que fazer uma avaliação médica para determinar se eu estaria apto para o trabalho militar. Deixei o hospital sete dias depois, mas permaneci de cama em casa por mais dois meses.

Durante toda a minha vida tive a sensação de ser invencível. Acreditava que minha capacidade atlética inata me livraria das situações mais perigosas. E, até esse momento, eu estava certo. Muitas vezes, durante a minha carreira, enfrentei incidentes que puseram minha vida em risco: colisões aéreas em outros saltos; descida descontrolada em um minissubmarino; pouso de centenas de pés quase fora de uma plataforma de petróleo; prisão sob um barco afundando; explosão prematura de uma demolição e incontáveis outros acidentes em que um átimo de segundo decide o destino entre viver e morrer. Todas as vezes tinha conseguido tomar a decisão correta, e todas as vezes estava fisicamente preparado para vencer o desafio. Não dessa vez.

Agora, deitado em uma cama, tudo o que eu sentia era autopiedade. Mas isso não duraria muito tempo. Minha mulher, Georgeann, cumpria o papel de enfermeira. Limpava meus ferimentos, dava-me as injeções necessárias diariamente e trocava meu papagaio. Porém, o mais importante, me lembrava de quem eu era. Nunca havia desistido de nada em minha vida, e ela me garantia que não o faria agora. Ela não me permitia sentir pena de mim mesmo. Era o tipo de amor durão de que eu precisava, e, à medida que os dias passavam, eu melhorava.

Meus amigos me visitavam, ligavam constantemente e me ajudavam no que fosse necessário. Meu chefe, o almirante Eric Olson, encontrou uma maneira de conseguir que a Marinha conduzisse uma avaliação médica que me permitisse continuar servindo como SEAL. Esse apoio praticamente salvou minha carreira.

Durante o período em que servi às equipes do SEAL tive muitos contratempos, e, a cada vez, alguém se apresentava para me ajudar: alguém que acreditava em minha capacidade; alguém que arriscava sua reputação para promover minha carreira. Nunca esqueci essas pessoas e sei que tudo o que conquistei na vida foi com a ajuda de outros.

Ninguém está livre de momentos trágicos na vida. Como o bote de borracha que usávamos no treinamento básico do SEAL, só uma boa equipe pode nos ajudar a cumprir o nosso destino. Ninguém consegue remar sozinho. Encontre alguém para compartilhar sua vida. Faça tantos amigos quanto possível e nunca esqueça que seu sucesso depende de outros.

CAPÍTULO 3

Tudo o que importa é o tamanho do coração

Se você quer mudar o mundo...
avalie as pessoas pelo tamanho do coração.

Corri para a praia com as nadadeiras pretas de borracha sob o braço direito e a máscara na mão esquerda. Chegando à posição de descansar, enterrei as nadadeiras na areia macia, apoiando uma contra a outra para formar uma tenda. À direita e à esquerda, estavam os outros alunos. Vestindo camisetas verdes, calções de banho cáqui, sapatos de neoprene e um pequeno colete salva-vidas, nos preparávamos para nossos 3 quilômetros de natação matinal.

O colete salva-vidas era uma pequena peça de borracha que só inflava quando se puxava uma alça. Entre os alunos, era uma vergonha usar o salva-vidas. Entretanto, os instrutores do SEAL inspecionavam cada colete antes dos exercícios de natação. Essa inspeção também dava aos instrutores a oportunidade de nos constranger e humilhar.

Naquele dia, as ondas em Coronado alcançavam mais de 2 metros de altura e vinham em linhas de três, arrebentando com um estrondo que fazia o coração de cada aluno bater mais rápido. Quando o instrutor se aproximou, veio diretamente ao rapaz à minha direita. O aluno, um recruta recém-chegado, devia ter 1,60 metro de altura. O instrutor, um veterano do Vietnã muitas vezes condecorado, tinha 1,90 metro e cresceu diante do rapazinho.

Depois de inspecionar o colete salva-vidas do aluno, o instrutor olhou por cima do ombro esquerdo para a arrebentação e se abaixou para pegar as nadadeiras do garoto. Segurando-as bem perto do rosto do marinheiro, disse com calma: "Você quer mesmo ser um homem-rã?".

O marinheiro endireitou o corpo com um ar de desafio e gritou: "Sim, instrutor, quero!".

"Você é um homenzinho minúsculo", disse o instrutor, balançando as nadadeiras diante do rosto do garoto. "Aquelas ondas ali poderiam partir você ao meio." Fez uma pausa e olhou para o mar. "Acho melhor você pensar no assunto antes de se machucar."

Pelo canto do olho, pude ver que o maxilar do rapaz se retesou.

"Não vou desistir!", ele respondeu, prolongando cada palavra. Então, o instrutor se curvou e sussurrou alguma coisa no ouvido do aluno. Não consegui distinguir as palavras acima do ruído das ondas.

Depois que todos os recrutas foram inspecionados, os instrutores nos mandaram para a água e começamos a nadar. Uma hora depois, quando atravessei de volta a arrebentação, o jovem marinheiro já estava na praia. Tinha terminado o exercício entre os primeiros. Mais tarde naquele dia, chamei-o de lado e perguntei o que o instrutor tinha lhe sussurrado. "Prove que estou errado!"

Todo o treinamento do SEAL consistia em provar alguma coisa. Provar que tamanho não importa. Provar que cor da pele não muda nada. Provar que dinheiro não faz ninguém melhor. Provar que determinação e coragem são sempre mais importantes que talento. Tive a sorte de aprender essa lição um ano após o início do treinamento.

* * *

Quando embarquei no ônibus municipal no centro de San Diego, estava animado com a possibilidade de visitar as instalações do centro de treinamento básico do SEAL na baía de Coronado. Eu era um aspirante de primeira classe num cruzeiro de verão como parte do Corpo de Treinamento de Oficiais de Reserva da Marinha (*Naval Reserve Officers Training Corp* – ROTC). Como aspirante de primeira classe, eu estava entre o primeiro e o segundo ano da faculdade e, se tudo corresse bem, esperava ser transferido no verão seguinte para o treinamento do SEAL. Estávamos no meio da semana e obtive permissão do meu instrutor no ROTC para me desviar do treinamento planejado a bordo de um dos navios ancorados no porto e partir para Coronado.

Saltei do ônibus diante do famoso Hotel del Coronado e caminhei cerca de 2 quilômetros até o lado da praia onde ficava a Base Naval Anfíbia. Passei por vários edifícios da época da Guerra da Coreia que abrigavam as Equipes 11 e 12 de Demolição Submarina. Na fachada de um prédio baixo de tijolos via-se uma placa de madeira que mostrava Freddy the Frog, um grande anfíbio verde e palmípede carregando uma bomba de TNT e fumando um charuto. Era o lar dos homens-rãs da Costa Oeste, intrépidos guerreiros de máscara de mergulho e nadadeiras cujos ancestrais tinham varrido as praias de Iwo Jima, Tarawa, Guam e Inchon. Meu coração começou a bater um pouco mais rápido. Era onde eu queria estar em um ano.

Depois que passei pelos prédios das Equipes de Demolição Submarina, o próximo edifício pertencia ao Grupo One do SEAL, na época uma nova geração de guerreiros da selva que tinha ganhado fama no Vietnã como alguns dos homens mais durões das forças armadas. Outra grande placa de madeira mostrava Sammy the Seal, uma foca com uma espada na mão e uma capa preta em volta dos ombros. Como fiquei sabendo mais tarde, os homens-rãs e os SEALS eram uma coisa só. Todos os homens eram graduados no treinamento SEAL, eram todos homens-rãs de coração.

Finalmente me aproximei do último prédio governamental do lado da praia onde ficava a Base Naval. Na fachada do edifício lia-se: "Treinamento Básico de Demolição Submarina do SEAL". Ladeando a entrada principal estavam dois instrutores cercados por jovens cadetes secundaristas. Os dois instrutores eram muito mais altos que os estudantes. O suboficial sênior Dick Ray tinha 1,90 metro, ombros largos, cintura fina, pele bronzeada e um bigode preto em forma de lápis. Era exatamente como eu esperava que um SEAL se parecesse. Ao lado dele estava o suboficial Gene Wence. Com mais de 1,80 metro, Wence tinha a estrutura de um defensor de futebol americano, com bíceps imponentes e um olhar de aço que evitava que qualquer pessoa se aproximasse demais.

Os cadetes foram conduzidos para dentro do edifício. Com certa apreensão, eu os segui e parei diante da recepção. Contei minha história ao jovem marinheiro que estava a postos. Eu era um aspirante da Universidade do Texas e gostaria de conversar com alguém sobre o treinamento do SEAL. O marinheiro saiu da mesa momentaneamente e voltou para me informar que o tenente Doug Huth teria o prazer de falar comigo em alguns minutos.

Enquanto esperava para ser chamado à sala do tenente Huth, caminhei pelo saguão, observando as imagens que adornavam as paredes. Eram fotos dos SEALS no Vietnã, rapazes emergindo do lodo profundo do delta do Mekong. Imagens de pelotões do SEAL camuflados retornando de uma missão noturna. Homens carregados de armas automáticas e cartucheiras de munição embarcando em um bote pela selva adentro.

Na outra ponta do saguão, vi que um homem também olhava as fotos. Pelo traje, percebia-se que era um civil de constituição frágil e cabelos ralos e pretos à la Beatles puxados atrás da orelha. Parecia estupefato diante daqueles incríveis guerreiros cujas ações estavam representadas nas fotos. Eu me perguntei se ele pensava ter o estofo necessário para ser um SEAL da Marinha. Olhando aquelas fotos, será que ele realmente se imaginava capaz de suportar o treinamento? Será que pensava que, com sua constituição física, poderia carregar uma mochila pesada e milhares de cartuchos de munição? Não teria visto os dois instrutores diante da porta? Homens fortes que evidentemente tinham a compleição correta? Senti uma pontada de tristeza de que alguém tivesse iludido o sujeito, talvez encorajando-o a deixar sua vida confortável como civil para tentar o treinamento do SEAL.

Minutos depois, o marinheiro da recepção veio caminhando pelo corredor e me conduziu à sala do tenente Huth. Doug Huth era um típico recrutador do SEAL; alto, musculoso, cabelos castanhos ondulados, parecia muito elegante no uniforme cáqui da Marinha.

Sentei-me numa cadeira diante da mesa de Huth e conversamos sobre o treinamento do SEAL e as exigências do programa. Huth me falou de sua experiência no Vietnã e de como seria a vida se eu conseguisse me graduar no treinamento. Pelo canto do olho, eu ainda conseguia ver o homem em trajes civis, que continuava vendo as fotos expostas na parede. Como eu, ele deveria estar aguardando para ver o tenente Huth, na esperança de aprender mais sobre o treinamento. Confesso que me senti bem por ser evidentemente mais forte e mais preparado do que aquele homem que julgava ser capaz de sobreviver aos rigores do treinamento para se tornar um SEAL.

No meio da conversa, o tenente Huth de repente parou de falar, levantou a cabeça e gritou para o homem que estava no saguão. Eu me levantei quando Huth fez sinal para que ele viesse à sua sala.

"Bill, este é Tommy Norris", ele disse, dando no homem magro um forte abraço. "Tommy foi o último a receber a medalha de honra do SEAL por serviços prestados no Vietnã", Huth acrescentou. Norris sorriu, um tanto constrangido com a apresentação. Sorri também, apertei sua mão e ri de mim mesmo. Aquele homem aparentemente frágil, de cabelos ralos, que eu suspeitava que fosse incapaz de passar pelo treinamento, era o tenente Tom Norris. Tom Norris, que havia servido no Vietnã e que, por noites seguidas, havia ultrapassado as linhas inimigas para resgatar dois pilotos que tinham sido abatidos. Aquele homem era Tom Norris, que, em outra missão, fora baleado no rosto por forças norte-vietnamitas e abandonado para morrer antes de ser resgatado pelo suboficial Mike Thornton, que mais tarde também recebeu a medalha de honra por essa ação. Aquele era Tom Norris, que depois de ferido lutara para ser aceito na Primeira Equipe de Resgate de Reféns do FBI. Aquele homem calmo, reservado e humilde era um dos mais valentes soldados na longa história dos SEALS.

Em 1969, Tommy Norris quase foi excluído do treinamento. Disseram que ele era pequeno demais, magro demais, fraco demais. Porém, como o jovem marinheiro da minha turma, Norris provou que todos estavam errados e mais uma vez mostrou que não é o tamanho das nadadeiras que contam, mas o tamanho do coração.

CAPÍTULO 4

A vida não é justa: siga em frente!

Se você quer mudar o mundo...
deixe de ser um injustiçado e siga em frente.

Corri até o topo da duna de areia e, sem hesitar, me atirei do outro lado, a toda velocidade, em direção ao oceano Pacífico. Inteiramente vestido em meu uniforme, chapéu de aba curta e botas de combate, mergulhei de cabeça nas ondas que arrebentavam na praia de Coronado, na Califórnia.

Quando saí da água, todo ensopado, vi o instrutor do SEAL de pé na duna. De braços cruzados e um olhar penetrante que cortava a névoa da manhã, ouvi ele gritar: "Você sabe o que fazer, sr. Mac!".

De fato, eu sabia.

Com falso entusiasmo, gritei um caloroso *"hooyah"* a plenos pulmões e caí de cara na areia fofa, rolando de um lado para o outro até que nenhuma parte do uniforme ficasse limpa. Então, como se não bastasse, me sentei, enfiei as mãos fundo no chão e atirei areia no ar para garantir que ela penetrasse em cada fenda do meu corpo.

Em algum ponto do treinamento físico da manhã, eu tinha "cometido uma violação das regras do SEAL". Minha punição era saltar na área de arrebentação, rolar no chão e me transformar num "empanado de areia".

Em todo o treinamento do SEAL não tinha nada mais desconfortável do que isso. Havia muitas coisas mais dolorosas e mais exaustivas, porém ser um empanado de areia testava nossa paciência e determinação. Não só porque você passava o resto do dia com areia escorrendo pelo pescoço, debaixo dos braços e entre as pernas, mas porque tornar-se um empanado de areia era um castigo totalmente sem critério. Não tinha lógica. Você se tornava um empanado de areia por simples capricho do instrutor.

Para muitos recrutas, era difícil aceitar isso. Aqueles que se esforçavam para ser os melhores esperavam ser recompensados por seu desempenho fora de série. Às vezes, até eram, e então, de novo, não eram mais. Às vezes, tudo o que recebiam por seu esforço era água e areia.

Sentindo que já estava suficientemente coberto de areia, corri até o instrutor, gritei "*hooyah*" novamente e me coloquei em posição de sentido. Olhando-me de cima a baixo para ver se eu cumpria seu padrão de excelência em matéria de empanado de areia, estava o tenente Phillip L. Martin, chamado pelos amigos de Moki. Eu, porém, não possuía essa intimidade.

Moki Martin era o homem-rã por excelência. Nascido e criado no Havaí, era tudo o que eu queria ser como oficial do SEAL. Veterano do Vietnã, dominava toda e qualquer arma do arsenal do SEAL. Era um dos melhores mergulhadores e, como havaiano nato, tinha uma habilidade na água que poucos, se é que haveria algum, seriam capazes de igualar.

"Sr. Mac, você tem alguma ideia de por que é um empanado de areia esta manhã?", disse Martin, de maneira calma, mas inquisitiva.

"Não, instrutor Martin", respondi, respeitosamente.

"Porque a vida não é justa, sr. Mac, e quanto mais cedo o senhor aprender isso, melhor o senhor será."

* * *

Um ano depois, o tenente Martin e eu já tínhamos intimidade. Eu completara o treinamento do SEAL e ele fora designado para o centro de treinamento da Equipe 11 de Demolição Submarina, em Coronado.

Quanto mais eu conhecia Moki, maior era meu respeito por ele. Além de ser um excelente operador do SEAL, ele também era um atleta fenomenal. No início dos anos 1980, estava na linha de frente dos maníacos por triátlon. Tinha um lindo estilo livre de natação em mar aberto. Suas coxas e panturrilhas eram fortes e o conduziam sem esforço por grandes distâncias, mas sua maior vantagem era no ciclismo. Ele e a bicicleta pareciam ter sido feitos um para o outro. Todas as manhãs, ele montava em sua bike e pedalava 50 quilômetros pelas praias. Uma ciclovia plana corria paralela ao oceano Pacífico e ligava a cidade de Coronado à cidade Imperial Beach. Com o mar de um lado e a baía do outro, esse era um dos mais belos trechos de praia da Califórnia.

Numa manhã de sábado, bem cedo, Moki saiu para pedalar. De cabeça baixa, pedalando rápido, ele não viu uma bicicleta que vinha na direção contrária. Mais ou menos a 40 quilômetros por hora, as duas bicicletas colidiram com forte impacto, derrubando os dois homens de cara no asfalto. O primeiro ciclista conseguiu se recuperar, limpou-se do pó da estrada e, com esforço, se pôs de pé. Estava machucado, mas bem.

Moki continuou deitado de cara no chão, incapaz de se mexer. Em poucos minutos, os paramédicos chegaram, imobilizaram Moki e o levaram para o hospital. A princípio, havia esperança de que a paralisia fosse temporária, mas, com o passar dos dias, meses e anos, Moki não conseguiu recuperar o movimento de suas pernas. O acidente o deixara paralítico da cintura para baixo, com o movimento dos braços limitado.

Pelos 35 anos seguintes, Moki viveu numa cadeira de rodas. Durante todos esses anos nunca ouvi dele uma queixa sobre seu infortúnio. Nem nunca o ouvi perguntar: "Por que eu?". Nunca ele demonstrou autopiedade.

Na verdade, depois do acidente, Moki se tornou um talentoso pintor. Criou uma linda filha, fundou e supervisiona o Super Frog Triathlon, evento realizado todos os anos em Coronado.

É fácil atribuir sua sorte na vida a alguma força externa, deixar de tentar por acreditar que o destino está contra você. É fácil pensar também que o lugar onde você foi criado, que a maneira como seus pais o trataram ou que a escola que você frequentou determinam seu futuro. Nada poderia estar mais longe da verdade. A vida das pessoas comuns, assim como a dos grandes homens e mulheres, é determinada pela maneira como elas lidam com a injustiça na vida: Helen Keller, Nelson Mandela, Stephen Hawking, Malala Yousafzai e... Moki Martin.

Às vezes, não importa o quanto você tente, não importa que esteja entre os melhores, ainda assim você terminará como um empanado de areia. Não se queixe. Não culpe nada ou ninguém por seus problemas. Levante a cabeça, olhe para o futuro e siga em frente!

CAPÍTULO 5

O fracasso pode tornar você mais forte

Se você quer mudar o mundo...
não tenha medo do Circo.

O mar de Coronado estava agitado, as ondas espumantes nos açoitavam o rosto enquanto nadávamos no estilo *side stroke*,[3] voltando para a praia. Como sempre, meu companheiro e eu lutávamos para acompanhar o resto da classe. No bote salva-vidas, os instrutores gritavam para nós, pedindo para mantermos o ritmo, porém parecia que quanto mais forte nadávamos, mais ficávamos para trás.

Meu companheiro naquele dia era Marc Thomas. Como eu, Marc fora comissionado através do ROTC.

---

3. Estilo de natação em que o nadador se posiciona de lado, com movimentos assimétricos de braços e pernas. Isso aumenta a resistência do nadador, porque em vez de trabalhar braços e pernas simultaneamente da mesma maneira, usa-os simultaneamente, mas de maneiras diferentes. O *combat side stroke*, ou CSS, é uma variação do *side stroke* desenvolvida e ensinada pelos SEALS da Marinha dos Estados Unidos. (N.T.)

Ele era formado no Instituto Militar da Virgínia e um dos melhores nadadores de longa distância da classe.

No treinamento do SEAL, seu companheiro de natação era o colega em quem você confiava e que o apoiaria em todas as circunstâncias. Era a ele que você ficava amarrado nos mergulhos. Ele era seu parceiro nos longos exercícios de natação. Ele o ajudava a estudar, mantinha-o motivado e se tornava seu maior aliado durante todo o treinamento. E, como companheiros, se um de vocês fracassasse, ambos sofreriam as consequências. Era a maneira de os instrutores reforçarem a importância do trabalho em equipe.

Quando completamos o nado e chegamos à praia, um instrutor do SEAL nos aguardava.

"Baixar!", gritou o instrutor. Era a ordem para descer para a posição de flexões: costas retas, braços totalmente esticados, cabeça elevada.

"Vocês dois se consideram oficiais?" Não havia por que responder. Ambos sabíamos que ele ia continuar.

"Oficiais do SEAL dão o exemplo. Não chegam em último lugar nos exercícios de natação. Não criam constrangimento para a classe."

O instrutor caminhou à nossa volta, chutando areia na nossa cara.

"Não acredito que os senhores vão conseguir. Não acho que tenham o que é preciso para ser um oficial do SEAL."

Puxando um caderninho preto do bolso traseiro, ele olhou para nós com repulsa e anotou alguma coisa. "Vocês dois vão para a lista do Circo." E balançou a cabeça. "Terão sorte se conseguirem sobreviver mais uma semana."

O Circo. Era a última coisa que Marc e eu queríamos. O Circo acontecia todas as tardes no final do treinamento. Eram mais duas horas de exercícios de ginástica, combinados com hostilidades contínuas dos veteranos do SEAL, para os quais somente os fortes deveriam sobreviver ao treinamento. Se alguém falhasse em cumprir as tarefas do dia – ginástica, corrida de obstáculos, corrida contra o relógio ou natação –, tinha o nome na lista. Aos olhos dos instrutores, era um fracasso.

O que fazia o Circo tão temido pelos alunos não era apenas o sofrimento adicional, mas o fato de saber que no dia seguinte estaríamos exaustos dos exercícios extras e por estarmos tão cansados não conseguiríamos atingir o padrão exigido. Assim, outro Circo se seguiria, e depois outro e mais outro. Era uma espiral mortal, um ciclo de fracassos que fazia muitos alunos abandonarem o treinamento.

Quando os demais alunos completaram as tarefas do dia, Marc e eu, ao lado de vários outros, nos reunimos no asfalto abrasivo para iniciar outra longa sessão de ginástica.

Naquele dia, como havíamos sido os últimos na natação, os instrutores tinham adaptado o Circo para nós. Abdominais. Muitos e muitos abdominais combinados com movimentos de tesoura com as pernas. Exercícios concebidos para fortalecer o abdômen e as coxas, de modo a nos dar força para vencer os intermináveis exercícios de natação em mar aberto. E planejados também para arrebentar com qualquer um.

O aluno se deitava de costas, com as pernas bem estendidas e as mãos atrás da cabeça. Acompanhando a contagem do instrutor, ele movia as pernas para cima e para baixo, num movimento de chute. Em nenhum momento era permitido dobrar os joelhos. Dobrar os joelhos era visto como fraqueza inadmissível em homens-rãs.

O Circo era um castigo. Centenas de abdominais, flexões, elevações na barra e série de oito movimentos. Quando o sol já se punha, Marc e eu mal podíamos nos mexer. O fracasso tinha um preço.

O dia seguinte trouxe mais ginástica, outra corrida de obstáculos, outro exercício de natação e, infelizmente, outro Circo. Mais flexões, mais elevações e muitos outros abdominais. Porém, à medida que os Circos prosseguiam, uma coisa interessante aconteceu. Nossa natação se aperfeiçoou, e Marc e eu começamos a melhorar nossa posição no grupo.

O Circo, que começara como castigo pelo fracasso, estava nos tornando mais fortes, rápidos e confiantes na água. Enquanto outros alunos abandonavam o treinamento, incapazes de lidar com um eventual fracasso e o sofrimento que ele provocava, Marc e eu estávamos determinados a não permitir que o Circo nos derrotasse.

O fim do treinamento do SEAL era marcado por um último exercício de natação em mar aberto por 8 quilômetros na costa da ilha de San Clemente. Completar o percurso num tempo aceitável era essencial para obter a graduação no treinamento.

A água estava dolorosamente fria quando saltamos do píer para o oceano. Quinze duplas de nadadores caíram na água e iniciaram o longo percurso pela pequena baía e sobre os leitos de algas marinhas. Após cerca de duas horas, as duplas estavam tão afastadas umas das outras que ninguém conseguia saber sua posição exata. Depois de quatro horas na água, com os membros dormentes, exaustos, à beira de uma hipotermia, Marc Thomas e eu chegamos à praia. O instrutor nos esperava depois da arrebentação.

"Baixar", ele gritou.

Meus pés e minhas mãos estavam tão gelados que eu não conseguia sentir a areia. Com a cabeça lutando para se manter ereta, eu só conseguia ver as botas do instrutor que caminhava ao nosso redor.

"Mais uma vez os senhores criaram constrangimento para a classe." Outro par de botas entrou no meu campo de visão, e mais outro. "Os senhores fizeram todos os colegas parecerem péssimos." Ele fez uma pausa. "Recuperem-se, senhores!"

Quando Marc e eu nos levantamos e olhamos em volta, percebemos que éramos a primeira dupla a chegar.

"Os senhores envergonharam todos eles." O instrutor sorriu. "Ainda nem se avista a segunda dupla."

Marc e eu nos voltamos para olhar o mar. Era verdade, ninguém à vista.

"Muito bem, senhores. Parece que todo o sofrimento valeu a pena." O instrutor fez uma pausa, deu um passo à frente e nos apertou as mãos. "Será uma honra servir com os senhores."

Tínhamos conseguido. O longo exercício de natação era a última prova do treinamento. Alguns dias mais tarde, Marc e eu nos formamos.

Marc teve uma carreira notável no SEAL e continuamos amigos até hoje.

Vamos enfrentar muitos Circos na vida. Pagaremos por nossos fracassos. Mas, se perseverarmos, se deixarmos que esses fracassos nos ensinem e nos fortaleçam, estaremos preparados para enfrentar os momentos mais difíceis.

* * *

Em julho de 1983, tive um desses momentos. A postos diante do comandante, pensei que minha carreira como membro do SEAL tinha terminado. Acabara de ser exonerado do meu posto, expulso por tentar mudar a maneira como minha esquadra era organizada, treinada, e conduzia suas missões. A organização contava com excelentes oficiais e marinheiros, alguns dos combatentes mais profissionais com os quais eu já trabalhara. Entretanto, grande parte da cultura ainda estava enraizada na era do Vietnã, e achei que era hora de mudar. Como vim a descobrir, a mudança nunca é fácil, particularmente para quem está no comando.

Felizmente, embora tivesse sido dispensado, meu oficial comandante permitiu que eu me transferisse para outra equipe do SEAL, mas minha reputação como oficial estava gravemente abalada. Aonde quer que eu fosse, outros oficiais e marinheiros sabiam que eu tinha fracassado, e todos os dias eu ouvia murmúrios e comentários sutis de que não estava à altura do cargo.

Nesse momento da minha carreira, eu tinha duas opções: abandonar o serviço militar e voltar à vida civil, que me parecia a escolha lógica em face do meu relatório de desempenho mais recente, ou expor-me à tempestade e provar, aos outros e a mim mesmo, que eu era um bom oficial do SEAL. Escolhi a segunda opção.

Logo depois de ser afastado, recebi uma segunda chance, a oportunidade de comandar um pelotão do SEAL no estrangeiro. Nesse posto estratégico, na maior parte do tempo ocupamos locações remotas, isolados e entregues à nossa própria sorte. Aproveitei a oportunidade para mostrar que eu ainda era capaz de liderar. Quando se vive num alojamento com doze SEALS, não há onde se esconder. Eles sabem se você está dando 100% nos exercícios matinais. Veem que você é o primeiro a saltar da aeronave e o último na fila do rancho. Observam como você limpa sua arma, verifica o rádio, lê o informe da inteligência e dá suas instruções para as missões. Sabem quando você passou a noite toda preparando o treinamento do dia seguinte.

À medida que os meses passavam naquele posto estratégico, usei meu fracasso anterior como motivação para trabalhar mais, ser mais rápido e ter melhor desempenho do que qualquer um do pelotão. Às vezes não consegui ser o melhor, mas nunca deixei de dar o meu melhor.

Com o tempo, recuperei o respeito de meus homens. Anos depois, fui escolhido para comandar a minha própria equipe do SEAL. Mais tarde, cheguei a comandar todos os SEALs da Costa Oeste.

Em 2003, combati no Iraque e no Afeganistão. Agora que eu era um contra-almirante numa zona de guerra, toda decisão minha tinha consequências. Ao longo dos anos seguintes, falhei várias vezes. Mas, a cada fracasso, a cada erro, houve centenas de sucessos: resgates de reféns, ataques frustrados de homens-bomba, piratas capturados, terroristas mortos e incontáveis vidas salvas.

Percebi que os fracassos passados haviam me fortalecido e me ensinado que ninguém está livre de erros. Verdadeiros líderes precisam aprender com os seus fracassos, usar as lições como motivação e não ter medo de tentar novamente ou de tomar a próxima decisão difícil.

Não se pode evitar o Circo. Em algum momento, todos nós entramos na lista. Não tenham medo do Circo.

CAPÍTULO 6

Você precisa ousar mais

Se você quer mudar o mundo...
atire-se ao obstáculo de cabeça.

De pé na ponta da torre de 9 metros, agarrei a espessa corda de náilon. Uma extremidade da corda estava presa na torre, e a outra ponta, amarrada a um poste a 30 metros de distância. Eu estava na metade da pista de obstáculos. Com as pernas agarradas à corda e fazendo o máximo esforço para me manter equilibrado, comecei a vencer a distância que me separava do poste. Com o corpo pendurado e me movimentando como uma lagarta, eu me movia passo a passo em direção à outra extremidade.

Quando cheguei ao fim, soltei a corda, pulei na areia fofa e corri para o obstáculo seguinte. Os outros alunos da classe soltavam gritos de estímulo, mas eu só ouvia o instrutor contando os minutos. Com meu "estilo gambá", que era muito lento, eu tinha perdido muito tempo naquele obstáculo chamado de "Deslizar pela vida". Não conseguia deslizar por cima da corda, com a cabeça à frente. Era um método muito mais rápido, contudo também mais arriscado. A estabilidade é menor quando você se arrasta por cima da corda em vez de se pendurar por baixo dela. E, se eu caísse e me machucasse, seria eliminado.

Cruzei a linha de chegada com um tempo decepcionante. Enquanto eu permanecia curvado, tentando recuperar o fôlego, um instrutor grisalho, veterano do Vietnã, com botas muito polidas e um uniforme verde engomado, se curvou sobre mim. "Quando o senhor vai aprender, sr. Mac?", ele me perguntou, num tom de evidente desprezo. "Esta pista de obstáculos vai derrotá-lo sempre, a menos que comece a correr certos riscos."

Uma semana depois, pus o medo de lado, agarrei a corda e me atirei de barriga, com a cabeça à frente. Quando cruzei a linha de chegada com minha melhor marca, pude notar um gesto de aprovação do veterano do Vietnã. Foi uma lição simples de como vencer a ansiedade e confiar em minha própria capacidade de realizar a tarefa. Essa lição me seria muito útil nos anos vindouros.

* * *

Iraque, 2004. A voz do outro lado do rádio estava calma, mas revelava uma urgência evidente. Os três reféns que procurávamos tinham sido localizados. Terroristas da Al-Qaeda os mantinham numa área de custódia de prisioneiros na periferia de Bagdá. Infelizmente, o serviço de inteligência informara que os terroristas estavam prestes a remover os homens. Por isso, tínhamos que agir rapidamente.

O tenente-coronel do Exército no comando da missão de resgate me avisou que teríamos de conduzir um ataque perigoso à luz do dia. Para piorar a situação, a única maneira de ter sucesso era pousar três helicópteros Black Hawk que levavam as forças de assalto no meio da pequena área murada. Conversamos sobre outras opções táticas, mas ficou claro que o coronel estava certo. Sempre era preferível conduzir uma missão de resgate à noite, quando o elemento surpresa estaria do nosso lado, mas aquela era uma oportunidade momentânea, e se não agíssemos imediatamente, os reféns seriam removidos e possivelmente mortos.

Aprovei a missão e, em poucos minutos, a força de resgate tinha embarcado nos três helicópteros Black Hawk e estava a caminho da área inimiga. Acima deles, outro helicóptero fazia um voo de observação e transmitia o vídeo para o meu quartel-general. Em silêncio, vi quando os três helicópteros voaram baixo sobre o deserto, poucos metros acima do solo, para esconder sua aproximação.

Dentro da área murada, pude ver um homem que empunhava uma arma automática e entrava e saía do prédio, aparentemente preparando-se para partir. Os helicópteros ficaram cinco minutos fora de vista, e tudo o que pude fazer, ali em meu quartel-general, foi ouvir a comunicação interna enquanto a equipe de resgate fazia sua preparação final.

Não era o primeiro resgate de reféns sob meu comando, nem seria o último, mas era com certeza o mais ousado, em face da necessidade de um pouso surpresa dentro da área de custódia inimiga. Embora os pilotos da unidade de aviação do Exército fossem os melhores do mundo, ainda assim era uma missão de alto risco. Três helicópteros, com hélices que se estendiam a mais de 18 metros, teriam que pousar em um espaço pouco maior que isso. O que criava ainda mais dificuldade era o muro de tijolos de 2,5 metros de altura que cercava a área de custódia, o que obrigava os pilotos a alterar dramaticamente seu ângulo de aproximação. Seria um pouso difícil, e pelo rádio eu podia ouvir a equipe de resgate se preparando para o desafio.

Pelo vídeo de inspeção, pude ver a aproximação final dos helicópteros. O primeiro voou baixo e direto e, assim que passou pelo muro, aterrissou no pequeno pátio. Imediatamente, a equipe de resgate saiu do Black Hawk e correu para o prédio. O segundo helicóptero veio logo atrás e pousou a poucos metros do companheiro. A corrente descendente provocada pelas hélices levantou uma nuvem de poeira em toda a área. Quando o terceiro helicóptero se aproximou, uma gigantesca nuvem de pó cegou temporariamente o piloto. O nariz do helicóptero passou raspando por cima do muro e a roda traseira raspou na parede, lançando tijolos para todo lado. Sem espaço, o piloto jogou a aeronave contra o solo com um baque, mas ninguém se feriu.

Minutos depois, recebi a notícia de que todos os reféns estavam bem. Em meia hora, a equipe de resgate e os homens libertados estavam de volta à segurança. A aposta valera a pena.

Ao longo da década seguinte, percebi que correr riscos era comum em nossas operações de forças especiais. Elas sempre forçavam seus limites, e os limites de suas máquinas, para chegar ao sucesso. De certa maneira, era isso que as diferenciava de todas as outras. Entretanto, ao contrário do que viam os observadores externos, o risco era geralmente calculado e bem planejado. Mesmo que fosse espontâneo, os operadores conheciam seus limites, mas acreditavam em si mesmos a ponto de tentar.

Em toda a minha carreira, sempre tive o maior respeito pelo Serviço Aéreo Especial britânico, o famoso sas. O lema do sas era "Quem ousa vence". Um lema tão admirado, que momentos antes do ataque a Osama bin Laden, meu subtenente Chris Faris citou a frase aos seals que se preparavam para a missão. Para mim, o lema não se referia apenas à maneira como as forças especiais britânicas operavam como unidade; dizia mais a respeito de como cada um de nós deve se conduzir na vida.

A vida é uma luta, e a possibilidade de fracasso está sempre presente, mas os que vivem com medo do fracasso, do sofrimento ou da vergonha nunca conquistarão seu pleno potencial. Sem forçar seus limites, sem vez ou outra se lançar sobre um obstáculo de cabeça, sem ousar, você nunca saberá o que seria verdadeiramente possível em sua vida.

CAPÍTULO 7

Enfrente os tiranos

Se você quer mudar o mundo...
não fuja dos tubarões.

O mar da ilha de San Clemente estava agitado e frio quando começamos nossos 6,5 quilômetros de natação noturna. Meu companheiro Marc Thomas espelhava minhas braçadas uma a uma. Usando apenas a parte de cima do traje de mergulho, máscara e um par de nadadeiras, nadávamos com esforço contra a corrente que nos empurrava para o sul, ao redor da pequena península. As luzes da base naval de onde tínhamos partido começaram a desvanecer à medida que entramos em mar aberto. Em uma hora estávamos a cerca de 2 quilômetros da praia e aparentemente sozinhos na água. Se havia alguém nadando à nossa volta, estava encoberto pela escuridão.

Eu podia ver os olhos de Marc através do vidro da máscara. Sua expressão devia refletir a minha. Nós dois sabíamos que as águas de San Clemente estavam cheias de tubarões. E não eram simples tubarões, mas grandes tubarões-brancos, os maiores e mais agressivos devoradores de homens do oceano. Antes de nossa partida, os instrutores do SEAL nos deram uma prévia das ameaças que poderíamos encontrar naquela noite. Havia tubarões-leopardos, tubarões-sombreiros, tubarões-martelos, porém o mais temido era o grande tubarão-branco.

Era um tanto inquietante estar sozinho à noite, no meio do oceano, sabendo que, espreitando sob a superfície, estava uma criatura pré-histórica à espera de me partir ao meio.

Mas nós dois queríamos tanto ser SEALs que nada naquela noite iria nos deter. Se tivéssemos que lutar contra tubarões, estávamos preparados. Nosso objetivo, que eu considerava honrado e nobre, nos dava coragem, uma qualidade notável. Nada nem ninguém poderia impedir nosso caminho. Sem coragem, outros o definiriam por nós. Sem ela, estaríamos à mercê das tentações da vida. Sem ela, os homens seriam governados por tiranos e déspotas. Sem ela, nenhuma grande sociedade poderia florescer. Sem coragem, os tiranos dominariam o mundo. Com ela, podemos conquistar qualquer objetivo. Com coragem, podemos desafiar e derrotar o mal.

* * *

Saddam Hussein, ex-presidente do Iraque, estava sentado na ponta de um catre do Exército, vestindo apenas um macacão laranja. Tendo sido capturado pelas forças norte-americanas 24 horas antes, era agora prisioneiro dos Estados Unidos.

Quando abri a porta para os novos chefes do governo do Iraque, Saddam permaneceu sentado. Um sorriso sarcástico passou por seu rosto, e não se via sinal de remorso ou submissão em sua atitude. Imediatamente, os quatro líderes iraquianos começaram a gritar com Saddam, mas a uma distância segura. Com um olhar de desprezo, Saddam lançou a eles um sorriso devastador e fez sinal para que se sentassem. Temendo ainda o antigo ditador, cada um deles pegou uma cadeira dobrável e se sentou. Os gritos e as acusações continuaram, mas lentamente foram diminuindo quando o ditador começou a falar.

No governo de Saddam Hussein, o Partido Baath fora responsável pela morte de milhares de xiitas e dezenas de milhares de curdos. Saddam havia assassinado pessoalmente alguns de seus próprios generais, que ele julgou desleais.

Embora eu estivesse convencido de que Saddam jamais voltaria a ser uma ameaça para os outros homens presentes, os líderes iraquianos não tinham certeza disso. O medo em seus olhos era evidente. Aquele homem, o Açougueiro de Bagdá, tinha aterrorizado toda uma nação durante décadas. O culto à personalidade lhe garantira seguidores da pior espécie. Seus seguidores tinham brutalizado inocentes e obrigado milhares de pessoas a fugir do país. Ninguém no Iraque mostrara coragem de desafiar o tirano. Eu não tinha dúvida de que aqueles novos líderes ainda temiam o que Saddam fosse capaz de fazer – mesmo atrás das grades.

Se o propósito da reunião era mostrar a Saddam que ele não tinha mais poder, estava sendo um fracasso. Naqueles breves momentos, Saddam conseguira intimidar e assustar a nova liderança governamental. Parecia mais confiante do que nunca.

Quando os líderes saíram, instruí meus guardas a isolar o ex-presidente numa pequena sala. Visitantes não seriam permitidos, e os guardas receberam ordens de não falar com Saddam.

Ao longo do mês seguinte, visitei aquela pequena sala todos os dias. E todos os dias Saddam se levantou para me cumprimentar, e todos os dias, sempre sem falar, fiz sinal a ele para que voltasse a seu catre. A mensagem era clara. Ele não era mais importante. Não podia mais intimidar os que o cercavam. Não podia mais incutir medo em seus subalternos. O palácio resplandecente não existia mais. Tampouco as criadas, os servidores, os generais. Acabara-se o poder. A arrogância e a opressão que definiram seu governo tinham chegado ao fim. Jovens e corajosos soldados americanos enfrentaram sua tirania e agora ele não ameaçava mais ninguém.

Trinta dias depois, transferi Saddam Hussein para uma unidade militar adequada, e, um ano mais tarde, os iraquianos o enforcaram por seus crimes contra a nação.

Tiranos são sempre iguais. Não importa onde estejam: no pátio da escola, no local de trabalho ou governando um país por meio do terror. Eles prosperam onde há medo e intimidação. Extraem sua força dos tímidos e fracos. São como tubarões que sentem o medo na água. Circulam para ver se sua presa está lutando. Investigam se sua vítima é fraca. Se você não encontra coragem para enfrentá-los, eles atacam. Na vida, para conquistar objetivos, para completar a natação noturna, teremos que ser homens e mulheres de grande coragem. Essa coragem está dentro de todos nós. Cave bem fundo, e você vai encontrá-la em abundância.

CAPÍTULO 8

Mostre-se à altura da ocasião

Se você quer mudar o mundo...
dê o seu melhor nos momentos mais sombrios.

Parado na pequena restinga arenosa, eu olhava, do outro lado da baía, a fila de navios de guerra ancorados diante da Base Naval de San Diego. Entre os navios e o nosso ponto de partida, na baía da cidade, estava ancorado um pequeno navio que naquela noite seria o nosso "alvo". Nossa turma tinha passado os últimos meses aprendendo a usar o equipamento básico de mergulho e também o mais avançado, com tanque de oxigênio de circuito fechado Emerson, que não lançava borbulhas. Aquela noite seria o auge da Fase de Mergulho, a parte tecnicamente mais difícil do treinamento básico do SEAL.

Nosso objetivo era nadar 2 quilômetros abaixo da superfície, cruzando a baía do ponto de partida até onde o navio estava ancorado. Sob seu casco, devíamos instalar uma mina magnética de treinamento na quilha e então, sem ser percebidos, voltar à praia. O equipamento Emerson era morbidamente chamado de "aparelho mortal". Sabia-se que, vez ou outra, ele não funcionava bem e, segundo o folclore do SEAL, recrutas tinham morrido ao longo dos anos usando o Emerson.

Naquela noite, a visibilidade na baía de San Diego estava tão ruim que não conseguíamos ver um palmo diante do nariz. Tudo o que tínhamos era uma lanterna química verde para iluminar nossa bússola. Para piorar as coisas, a névoa estava cada vez mais densa. A neblina pairava sobre a baía, nos impedindo de traçar o rumo até nosso alvo. Se o perdêssemos, nos veríamos no canal de atracação, nunca um bom lugar para estar quando um destróier da Marinha se aproximava do porto.

Os instrutores andavam de um lado para o outro diante das 25 duplas de mergulhadores que se preparavam para o exercício noturno. Pareciam tão nervosos quanto nós. Sabiam que aquele treinamento tinha alto potencial de provocar ferimentos ou até mesmo a morte.

O suboficial no comando reuniu todos os mergulhadores num círculo. "Senhores", ele disse. "Esta noite descobriremos quais dos senhores marinheiros realmente querem se tornar homens-rãs." Ele fez uma pausa de efeito. "Está frio e escuro lá fora. E estará mais escuro ainda sob o navio. Tão escuro que os senhores podem ficar desorientados. Tão escuro que, se algum dos senhores se afastar de seu companheiro, ele não conseguirá encontrá-lo." A neblina agora se fechava à nossa volta, envolvendo até a pequena restinga onde estávamos. "Esta noite, os senhores terão que dar o melhor de si. Terão que superar seus medos, suas dúvidas e seu cansaço. Não importa a escuridão, os senhores devem completar a missão. Isso é o que os separa de qualquer outra pessoa." De algum modo, essas palavras permaneceram comigo pelos trinta anos seguintes.

* * *

Olhando a neblina baixar sobre o campo de aviação na Base Aérea de Bagram, no Afeganistão, outro momento sombrio se desenrolou diante de mim. Uma aeronave C-17 estava estacionada na pista, com a rampa de embarque abaixada, aguardando para receber os restos mortais de um herói.

Era uma Cerimônia de Repatriação, um dos mais solenes e indiscutivelmente inspiradores atos das guerras do Iraque e do Afeganistão. Eram os Estados Unidos em sua melhor expressão. Cada homem, cada mulher, independentemente de seu passado, independentemente do heroísmo de seus momentos finais, era tratado com honra e respeito extraordinários. Era a maneira de nossa nação reconhecer seu sacrifício. Era nossa última saudação, nosso agradecimento final e nossa prece antes de enviar nosso herói para casa.

Paralelamente à rampa postavam-se duas fileiras de soldados. Parados na posição de descansar, eles constituíam a guarda de honra. Do lado direito da aeronave, uma pequena banda tocava suavemente *Amazing Grace*.

Alguns outros militares, inclusive eu, estavam reunidos à esquerda, e ao longo de todo o hangar se enfileiravam centenas de outros soldados, marinheiros, aviadores, fuzileiros navais, civis e nossos aliados. Todos tinham vindo prestar sua última homenagem.

Nesse momento, chegou o veículo que transportava os restos mortais. Seis homens da unidade a que pertencia o militar morto, carregando o caixão com a bandeira, caminharam lentamente entre a guarda de honra em direção ao avião.

Depositaram o ataúde no meio do compartimento de carga e fizeram sua última saudação. Na ponta do caixão, o pastor inclinou a cabeça respeitosamente e leu uma passagem de Isaías 6:8.

"Então ouvi a voz do Senhor, conclamando: 'Quem enviarei? Quem irá por nós?'. E eu respondi: 'Eis-me aqui. Envia-me!'."

Quando soou o Toque de Silêncio, lágrimas rolaram pelo rosto dos soldados. Ninguém tentou esconder a dor.

Quando os carregadores do caixão partiram, os que estavam alinhados do lado de fora entraram, um por um, saudando e se ajoelhando ao pé do ataúde para um último adeus.

O C-17 partiu mais tarde naquela manhã, parando para abastecer ao longo do trajeto, e chegou à Base Aérea de Dover. Ali, outra guarda de honra e a família do soldado morto receberam o caixão e o escoltaram para casa.

Não há momento mais sombrio na vida de uma pessoa do que perder alguém que se ama. Apesar disso, muitas e muitas vezes vi famílias, unidades militares, cidades e toda uma nação reunidas para mostrar o melhor de si nesses momentos trágicos.

Quando um experiente operador especial do Exército foi morto no Iraque, seu irmão gêmeo permaneceu firme, consolando os amigos do soldado, mantendo a família unida e afirmando que o irmão teria orgulho de sua força naquele momento de necessidade.

Quando um *ranger* foi enviado de volta à sua base em Savannah, na Geórgia, toda a unidade, vestida em seu melhor uniforme, marchou da igreja até o bar favorito do morto, na River Street. Toda a cidade de Savannah foi se juntando à unidade ao longo do trajeto. Bombeiros, policiais, veteranos de guerra, civis de todas as classes estavam lá para homenagear o jovem soldado que morrera heroicamente no Afeganistão.

Quando uma aeronave CV-22 caiu no Afeganistão, matando o piloto e vários homens da tripulação, os aeronautas da mesma unidade se reuniram, prestaram sua homenagem e voaram no dia seguinte, sabendo que seus companheiros mortos gostariam de vê-los no ar, continuando a missão.

Quando um acidente de helicóptero ceifou a vida de 25 operadores especiais e seis soldados da Guarda Nacional, toda a nação lamentou, mas também sentiu enorme orgulho da coragem, do patriotismo e do valor dos guerreiros mortos.

Em algum momento, todos nós enfrentaremos uma fase sombria na vida. Se não a morte de um ser amado, alguma coisa que aniquile nossa energia e nos faça duvidar do futuro. Nesse momento sombrio, mergulhe fundo dentro de si mesmo e dê o seu melhor.

CAPÍTULO 9

Dê esperança às pessoas

Se você quer mudar o mundo...
comece a cantar quando estiver enfiado
na lama até o pescoço.

O vento noturno que vinha do oceano soprava a 30 quilômetros por hora. Não havia lua, e uma camada de nuvens baixas obscurecia as estrelas. Eu estava com lama até a altura do peito, coberto de sujeira da cabeça aos pés. Com a visão embaçada pelo barro endurecido, só conseguia enxergar a fila de companheiros alinhados no poço ao meu lado.

Era quarta-feira da Semana Infernal, e minha classe tinha sido engolida pelos execráveis pântanos de Tijuana. A Semana Infernal era o acontecimento mais importante da primeira fase do treinamento do SEAL. Eram seis dias sem dormir e sob a implacável hostilidade dos instrutores. Eram longas corridas, exercícios de natação em mar aberto, pista de obstáculos, subidas em cordas, infindáveis sessões de ginástica e constantes remadas no pequeno bote inflável. O objetivo da Semana Infernal era eliminar os fracos, aqueles que não eram suficientemente competitivos e resistentes para merecer um lugar entre os SEALS.

Estatisticamente, mais alunos abandonavam o treinamento durante a Semana Infernal do que em qualquer outra fase, e o pântano era a parte mais difícil da semana. Localizado entre o sul de San Diego e o México, o pântano era uma região baixa onde a drenagem do San Diego criava uma grande faixa de terreno pantanoso e profundo que tinha a consistência de barro úmido.

No início daquela tarde, nossa classe tinha remado em seus botes de borracha de Coronado até o pântano. Assim que chegamos, recebemos ordem de entrar no pântano e iniciamos uma série de corridas e competições individuais organizadas para nos manter com frio, molhados e miseráveis. A lama se grudava em toda parte do corpo. Era tão densa que se mover por ela exauria nossas forças e punha à prova nossa vontade de prosseguir.

As atividades duravam horas. No fim da tarde, mal conseguíamos nos mexer com o frio de gelar os ossos e o cansaço. Quando o sol se punha, a temperatura declinava, a velocidade do vento aumentava e tudo parecia ainda mais difícil.

A moral caía rapidamente. Ainda estávamos na quarta-feira e sabíamos que mais três dias de dor e exaustão nos aguardavam. Era o momento da verdade para muitos alunos. Tremendo incontrolavelmente, com mãos e pés inchados pelo uso incessante e a pele tão sensível que o mais leve movimento podia gerar desconforto, íamos perdendo a esperança rapidamente.

Recortado em silhueta contra as luzes distantes da cidade, um instrutor caminhou decidido até a borda do pântano. No tom de um velho amigo, falou com gentileza em um megafone e ofereceu conforto aos recrutas sofredores. Podíamos nos juntar a ele e aos outros instrutores ao pé do fogo, ele dizia. Ali havia café quente e canja de galinha. Poderíamos descansar até o sol raiar. Saiam daí. Acalmem-se.

Eu percebia que alguns alunos estavam prontos a aceitar a oferta. Afinal, quanto mais conseguiríamos sobreviver naquele pântano? Uma fogueira, café quente e canja de galinha, com certeza, soavam bem. Mas então veio a armadilha. Só precisávamos que cinco de nós desistissem. Apenas cinco, e o resto da classe não sofreria mais.

O companheiro ao meu lado começou a se mover na direção do instrutor. Agarrei seu braço e o segurei firme, mas a necessidade de escapar à lama era grande demais. Ele escapou e começou a caminhar na direção da terra firme. Pude ver que o instrutor sorria. Ele sabia que, uma vez que um desistisse, outros o seguiriam.

De repente, acima do uivo do vento ouviu-se uma voz. Cantando. Era uma voz cansada e rascante, mas suficientemente alta para ser ouvida por todos. A letra não se destinava a ouvidos ternos, mas todos a conheciam. A uma voz se juntou outra, e duas se tornaram três, e em pouco tempo todos estavam cantando.

O companheiro que se encaminhava para terra firme deu meia-volta e retornou para o meu lado. Enlaçando seu braço no meu, também começou a cantar. O instrutor pegou o megafone e gritou para a classe que parasse de cantar. Ninguém obedeceu. Ele gritou ao chefe da classe que controlasse seus recrutas. O canto continuou. A cada ameaça do instrutor, as vozes cresciam, a classe ficava mais forte, e a vontade de continuar diante da adversidade tornava-se inquebrantável. Na escuridão, com o fogo iluminando o rosto do instrutor, pude ver que ele sorriu. Mais uma vez, tínhamos aprendido uma importante lição: a força de uma pessoa para unir o grupo, a força de uma pessoa para inspirar os que a cercam e lhes dar esperança. Se aquela pessoa podia cantar enfiada até o pescoço na lama, nós todos podíamos. Se aquela pessoa podia suportar o frio congelante, nós também podíamos. Se aquela pessoa podia persistir, nós também podíamos.

* * *

A sala de espera da Base Aérea de Dover estava repleta de famílias enlutadas – crianças inconsoláveis soluçando no colo das mães, pais de mãos dadas na esperança de dar força um ao outro e viúvas com um olhar distante de incredulidade. Apenas cinco dias antes, um helicóptero que transportava SEALS da Marinha e seus parceiros das Operações Especiais Afegãs, pilotado por aviadores do Exército, tinha sido abatido no Afeganistão. Todos os 38 homens a bordo tinham morrido. Era a maior perda na Guerra ao Terror.

Em menos de uma hora, uma aeronave C-17 foi designada para pousar em Dover, de onde as famílias dos heróis mortos seriam escoltadas até a área de pouso para encontrar os caixões cobertos com a bandeira dos Estados Unidos. Mas enquanto as famílias aguardavam, o presidente dos Estados Unidos, o secretário da Defesa, seus comandados e chefes militares entraram na sala de espera para prestar homenagem e dar conforto aos familiares dos mortos.

Eu já tinha comparecido a dezenas de serviços fúnebres de soldados mortos. Nunca foi fácil, e eu sempre me perguntava se minhas palavras de consolo fariam alguma diferença para aqueles que tinham perdido seus entes queridos, ou se o choque da perda tornaria tudo o que eu pudesse dizer incompreensível.

Quando eu e minha mulher, Georgeann, começamos a falar com as famílias, eu me esforçava para encontrar as palavras certas. Como criar empatia verdadeira com sua dor? Como lhes dizer que o sacrifício do filho, marido, pai, irmão ou amigo valera a pena? Fiz o que pude para confortar cada um. Abracei-os. Rezei com eles. Tentei me manter forte por eles, mas sabia que minhas palavras não eram capazes de aliviar a dor.

Então, enquanto estava de joelhos ao lado de uma mulher idosa, notei que a família ali perto de mim conversava com o tenente-general John Kelly. Assessor militar do secretário da Defesa, Kelly era um homem alto, magro, com os cabelos grisalhos curtos e vestia um imaculado uniforme dos fuzileiros navais. A família estava em volta dele, e pude sentir que suas palavras de simpatia e encorajamento diante da tragédia causavam um efeito profundo sobre os desconsolados pais e seus filhos. Ele sorria e eles sorriam. Ele os abraçava e eles o abraçavam de volta. Ele estendia a mão e eles a agarravam com força.

Depois de abraçar as famílias uma última vez e agradecer a elas por seu sacrifício, Kelly passava ao próximo grupo de tristes sobreviventes. Durante a hora seguinte, John Kelly tocou quase todas as famílias na sala. Mais do que as de qualquer outro visitante naquele dia, as palavras de Kelly reverberaram em cada pai, esposa, irmão e irmã ou amigo. Eram palavras de compreensão. Eram palavras de compaixão e, acima de tudo, de esperança.

Só John Kelly podia fazer a diferença naquele dia. Só John Kelly podia ter lhes dado esperança, porque só John Kelly sabia o que era perder um filho em combate.

O primeiro-tenente Robert Kelly fora morto no Afeganistão em 2010 quando servia o Terceiro Batalhão do Quinto Regimento dos Fuzileiros Navais. O general Kelly e sua família tinham enfrentado a mesma tragédia com que as famílias se defrontavam em Dover naquele dia. Mas a família Kelly sobrevivera. Tinha resistido à dor, à angústia e ao inconsolável sentimento de perda.

Vendo-o naquele dia, senti que ele também me deu força. Quando se perde um soldado, a verdade é que choramos por sua família, mas também tememos que o mesmo destino se abata sobre nós. Nos perguntamos se poderíamos sobreviver à perda de um filho. Ou se nossa família seria capaz de seguir em frente sem nós. Rezamos para que Deus tenha misericórdia e não jogue sobre nossos ombros esse fardo inimaginável.

Nos três anos seguintes, John Kelly e eu nos tornamos amigos íntimos. Ele era um oficial notável, um excelente marido para sua mulher, Karen, e um pai amoroso para sua filha, Kate, e seu primogênito, major dos fuzileiros navais John Kelly. Porém, mais do que isso, sem saber, John Kelly deu esperança a todos os que o cercavam. Esperança de que, nos piores momentos, podemos vencer a dor, a decepção, a agonia, e sermos fortes. De que temos dentro de nós a capacidade de prosseguir não apenas para sobreviver, mas também para inspirar outras pessoas.

A esperança é a força mais poderosa do universo. Com esperança podemos inspirar nações a atingir sua grandeza. Com esperança podemos ajudar os oprimidos a se levantar. Com esperança podemos aliviar a dor da perda insuportável. Às vezes, tudo o que é preciso é uma pessoa que faça a diferença.

Algum dia, qualquer um de nós se verá enfiado na lama até o pescoço. É o momento de cantar alto, de sorrir francamente, de animar os que nos cercam e lhes dar esperança de que o amanhã será um dia melhor.

CAPÍTULO 10

Nunca, jamais, desista!

Se você quer mudar o mundo...
nunca, jamais, toque o sino.

Eu estava parado, em posição de sentido, com outros 150 alunos no primeiro dia do meu treinamento no SEAL. O instrutor, vestido com shorts cáqui, camiseta azul e dourada e botas de combate atravessou o grande pátio asfaltado até um sino de metal pendurado à vista de todos os recrutas.

"Senhores", ele começou. "Hoje é o primeiro dia do treinamento do SEAL. Pelos próximos seis meses, os senhores se submeterão ao curso de instrução militar mais difícil dos Estados Unidos."

Olhei em volta e notei olhares de apreensão no rosto de meus companheiros.

O instrutor continuou: "Os senhores serão testados como nunca antes em sua vida". Ele fez uma pausa e percorreu com os olhos a classe de novos "girinos". "A maioria dos senhores não conseguirá chegar ao fim. Isso eu lhes garanto." Ele sorriu. "E farei tudo o que estiver ao meu alcance para fazê-los desistir!" Ele enfatizou a última palavra. "Vou persegui-los sem piedade. Vou envergonhá-los diante de seus colegas. Vou pressioná-los além dos seus limites." E então um sorriso irônico perpassou seu rosto. "E haverá sofrimento. Muito sofrimento."

Agarrando o sino, ele puxou a corda com força, e um som metálico ecoou pelo pátio. "Mas, se os senhores não gostam de sofrer, se não gostam de perseguição, há uma saída fácil." Ele puxou a corda novamente e outra onda de um som metálico profundo reverberou nos edifícios. "Tudo o que precisam fazer para escapar é tocar o sino três vezes."

Ele soltou a corda. "Toquem o sino e não terão que levantar cedo. Toquem o sino e não terão que aguentar as longas corridas, os exercícios de natação em águas geladas, as pistas de obstáculos. Toquem o sino e poderão evitar todo esse sofrimento."

Então o instrutor olhou para o chão e pareceu interromper o monólogo que preparara. "Mas vou lhes dizer uma coisa", ele continuou. "Se desistirem, vão se arrepender pelo resto da vida. Desistir não torna nada mais fácil."

Seis meses depois, éramos apenas 33 na cerimônia de graduação. Muitos tinham escolhido a saída mais fácil. Tinham desistido, e eu apostava que o instrutor tinha razão: eles se arrependeriam pelo resto da vida.

De todas as lições que aprendi no treinamento do SEAL, essa foi a mais importante. Nunca desista. Não parece uma afirmação muito profunda, mas a vida constantemente nos coloca em situações em que desistir parece muito mais fácil do que seguir em frente. Quando as probabilidades desfavoráveis se acumulam contra nós, desistir nos parece o mais racional.

Em toda a minha carreira, me inspirei em homens e mulheres que se recusaram a desistir, que se recusaram a ter pena de si mesmos, mas nenhum me inspirou mais do que um jovem *ranger* que conheci em um hospital no Afeganistão.

* * *

Já era tarde da noite quando fui informado de que um dos meus soldados tinha pisado numa mina e fora transferido de helicóptero para o hospital de campanha perto do meu quartel-general. Eu e o comandante dos *rangers*, coronel Erik Kurilla, partimos rapidamente para o hospital e logo estávamos no quarto do soldado.

Ele estava deitado numa cama hospitalar, com tubos presos à boca e ao peito; queimaduras da explosão marcavam seus braços e seu rosto. O cobertor que lhe cobria o corpo estava plano onde deveriam estar suas pernas. Sua vida tinha mudado para sempre.

Eu já tinha feito incontáveis visitas ao hospital de campanha no Afeganistão. Como comandante em tempo de guerra, eu tentava não interiorizar o sofrimento humano. Sabia que isso faz parte da luta. Soldados se ferem. Soldados morrem. Se deixarmos que cada decisão nossa se baseie na possibilidade da morte, teremos que lutar com unhas e dentes para sermos eficientes.

De alguma forma, aquela noite parecia diferente. O soldado diante de mim era muito jovem, mais novo que meus dois filhos. Tinha 19 anos e se chamava Adam Bates. Tinha chegado ao Afeganistão havia apenas uma semana e aquela fora sua primeira missão.

Eu me inclinei e toquei seu ombro. Ele parecia estar sedado e inconsciente. Refleti por um instante, fiz uma prece e já me preparava para sair quando uma enfermeira entrou para ver meu soldado.

Ela sorriu, testou seus sinais vitais e me perguntou se eu tinha alguma pergunta sobre seu estado. Informou-me que ele tivera as duas pernas amputadas e tinha graves queimaduras, mas que sua chance de sobrevivência era boa.

Agradeci a ela o cuidado que dispensava ao soldado Bates e lhe disse que voltaria quando ele estivesse consciente. "Oh, ele está consciente", ela disse. "Na verdade, seria bom o senhor falar com ele." Gentilmente, ela sacudiu o jovem *ranger*, que abriu ligeiramente os olhos e percebeu a minha presença.

"Ele não pode falar", disse a enfermeira. "Mas, como sua mãe era surda, ele conhece a linguagem de sinais." A enfermeira me estendeu uma folha de papel com vários símbolos da linguagem de sinais.

Falei por um minuto, tentando encontrar forças para dizer a coisa certa. O que dizer a um jovem que tinha perdido as duas pernas servindo seu país? Como fazê-lo se sentir melhor sobre seu futuro?

Com o rosto inchado pela explosão, os olhos quase imperceptíveis em meio à vermelhidão e às bandagens, Bates me encarou por um instante. Deve ter percebido a piedade em minha expressão.

Erguendo a mão, começou a fazer sinais.

Olhei cada símbolo na folha de papel que tinha diante de mim. Lenta e dolorosamente, ele sinalizou: "Vou… ficar… bem". E caiu no sono.

Quando deixei o hospital naquela noite, não pude evitar o choro. De centenas de homens com os quais eu conversara no hospital, nenhum nunca se queixou. Nunca! Tinham orgulho do que faziam. Aceitavam seu destino, e tudo o que queriam era voltar à sua unidade, estar com os homens que tinham deixado para trás. De alguma maneira, Bates personificava todos esses homens chegados ao hospital antes dele.

Um ano depois dessa visita ao hospital, eu estava na cerimônia de troca de comando do 75º Regimento dos Rangers. Ali, entre as fileiras de soldados, estava Bates, elegante em seu uniforme e ereto sobre suas novas próteses ortopédicas. Por casualidade, ouvi-o desafiar seus companheiros a uma competição. Apesar de tudo por que passara, as várias cirurgias, a dolorosa reabilitação, a necessidade de se adaptar a uma nova vida, ele jamais desistira. Estava ali, rindo, brincando e, como me prometera, estava bem!

A vida é cheia de fases difíceis. Mas sempre existe alguém em uma situação pior do que a nossa. Se enchermos nossos dias com autopiedade, tristeza pela maneira como fomos tratados, lamentando nossa sorte na vida, culpando alguém ou alguma coisa por nossas circunstâncias, a vida será longa e difícil. Se, por outro lado, nos recusarmos a desistir de nossos sonhos, nos mantivermos firmes e fortes diante das adversidades, então a vida será o que fizermos dela, e podemos fazê-la grandiosa. Nunca, jamais, toque o sino!

* * *

Lembre-se… Comece o dia com uma tarefa feita. Encontre alguém que o ajude a enfrentar a vida. Respeite todo mundo. Saiba que a vida não é justa e que muitas vezes você vai fracassar. Mas, se assumir alguns riscos, der um passo à frente quando os tempos forem duros, encarar os tiranos, ajudar os oprimidos e nunca desistir – se fizer tudo isso, poderá mudar sua vida para melhor… e talvez o mundo!

Aula inaugural na Universidade do Texas

21 de maio de 2014

O slogan da universidade é: "O que começa aqui muda o mundo". Devo admitir que ele me agrada. "O que começa aqui muda o mundo."

Esta noite quase 8 mil estudantes estão se formando na Universidade do Texas. Segundo o Ask.com, esse grande paradigma de rigor analítico, um americano médio vai conhecer 10 mil pessoas ao longo da vida. É muita gente. Mas, se cada um de vocês mudar a vida de dez pessoas apenas, e cada uma delas mudar a vida de outras dez, em cinco gerações – 125 anos – esta classe de 2014 terá mudado a vida de 800 milhões de pessoas.

Oitocentos milhões, mais que o dobro da população dos Estados Unidos. Uma geração mais e será possível mudar toda a população do mundo, 8 bilhões de pessoas. Se vocês pensam que é difícil mudar a vida de dez pessoas, mudá-las para sempre, estão errados.

Vi isso acontecer todos os dias no Iraque e no Afeganistão. Em Bagdá, um jovem oficial do Exército toma a decisão de seguir pelo caminho da esquerda, e não da direita, e os dez soldados de seu pelotão escapam de uma emboscada.

Na província de Kandahar, no Afeganistão, uma oficial da Equipe Feminina de Engajamento sente que alguma coisa está errada e conduz o pelotão de infantaria para longe de uma bomba de fabricação caseira, salvando a vida de uma dezena de soldados.

Mas, pensando bem, não apenas esses soldados foram salvos pela decisão de uma pessoa, como também seus filhos que ainda não tinham nascido. E os filhos de seus filhos. Gerações foram salvas por uma única decisão, de uma única pessoa.

Mas um ato capaz de mudar o mundo pode ocorrer em qualquer lugar, e qualquer pessoa pode praticá-lo. Portanto, o que começa aqui pode de fato mudar o mundo, mas a pergunta é: "Como será o mundo depois da mudança?".

Bem, acredito que ele será muito melhor, mas, se vocês quiserem atender ao pedido de um velho marinheiro, tenho algumas sugestões que podem ajudá-los a tornar o mundo melhor. E, embora eu tenha aprendido essas lições durante minha vida militar, posso garantir que não importa se você um dia serviu a alguma instituição militar.

Não importa o gênero, a etnia, a formação religiosa ou a condição social. Nossas lutas neste mundo são semelhantes, e as lições para vencê-las e andar para a frente – para mudar a nós mesmos e ao mundo que nos cerca – se aplicam igualmente a todos.

Servi como SEAL da Marinha dos Estados Unidos por 36 anos. Mas tudo começou quando saí da Universidade do Texas para o treinamento básico do SEAL em Coronado, na Califórnia. O treinamento básico do SEAL consiste em seis meses de longas e torturantes corridas na areia fofa, exercícios noturnos de natação nas águas frias da baía de San Diego, pistas de obstáculos, infindáveis exercícios de ginástica, dias sem dormir e a onipresente sensação de frio, umidade e desgraça.

Foram seis meses de constante perseguição de guerreiros profissionalmente treinados, que tentavam descobrir os fracos de corpo e mente e eliminá-los antes que se tornassem um SEAL da Marinha. Mas o treinamento também visava descobrir alunos capazes de liderar num ambiente de constante estresse, caos, fracasso e adversidade. Para mim, o treinamento básico do SEAL foi um período de desafios condensados em seis meses.

Portanto, eis as dez lições que aprendi no treinamento básico do SEAL e que espero que sejam valiosas para vocês na sua vida futura.

* * *

Todas as manhãs, meus instrutores, que naquela época eram todos veteranos do Vietnã, apareciam no nosso alojamento, e a primeira coisa que faziam era inspecionar nossas camas, verificar se tínhamos arrumado a cama corretamente, com os lençóis bem esticados nos cantos, o travesseiro centralizado logo abaixo da cabeceira e o cobertor perfeitamente dobrado aos pés da cama.

Era uma tarefa simples, corriqueira até. Mas todas as manhãs exigia-se que arrumássemos a cama com perfeição. Na época, isso me parecia um tanto ridículo, ainda mais para jovens que aspiravam tornar-se verdadeiros guerreiros, SEALs fortalecidos em batalha. Mas, ao longo dos anos, a sabedoria desse simples ato acabou se revelando para mim.

Se você arrumar a cama todas as manhãs, terá realizado a primeira tarefa do dia. Isso lhe dará um sentimento de orgulho, mesmo que pequeno, e irá encorajá-lo a assumir outra tarefa, e outra e mais outra. No fim do dia, essa primeira tarefa realizada terá se transformado em muitas outras tarefas realizadas. Além disso, arrumar a cama reforça a ideia de que as pequenas coisas da vida são importantes.

Se alguém não consegue realizar as pequenas coisas, nunca fará direito as grandes coisas. E, se por acaso você tiver um dia infeliz, voltará para casa e encontrará a cama arrumada – que você arrumou –, e ela lhe dará o incentivo de que o amanhã será melhor.

Se você quer mudar o mundo, comece arrumando a sua cama.

* * *

Durante o treinamento do SEAL, os alunos se dividem em equipes de remo. Cada tripulação é composta de sete alunos: três de cada lado de um pequeno bote de borracha e um timoneiro. Todos os dias, cada tripulação se alinhava na praia e era instruída a ultrapassar a arrebentação e remar vários quilômetros ao longo da costa.

No inverno, as ondas em San Diego podem chegar a 3 metros de altura, o que tornava muito difícil atravessar a arrebentação remando, a menos que todos se empenhassem com todas as forças. Cada remada precisava estar sincronizada com a contagem do timoneiro. Todos deviam exercer a mesma força ou o bote emborcaria e seria arremessado bruscamente de volta à praia. Para que o bote chegasse a seu destino, todos deviam remar.

Você não pode mudar o mundo sozinho. Vai precisar de ajuda e, para chegar ao destino, precisará de amigos, de colegas, da boa vontade de estranhos e de um bom timoneiro para guiá-los.

Se você quer mudar o mundo, encontre alguém que o ajude a remar.

* * *

Depois de algumas semanas de treinamento, minha classe, que começara com 150 homens, estava reduzida a apenas 42. Eram seis equipes de sete homens em cada bote. Eu estava no bote que levava os alunos mais altos, mas a melhor tripulação era a dos baixinhos, a "tripulação dos gnomos", como a chamávamos. Nenhum dos tripulantes tinha mais de 1,65 metro.

Essa equipe era formada por um indo-americano, um afro-americano, um polaco-americano, um greco-americano, um ítalo-americano e dois garotos do Meio-Oeste. Eles corriam, remavam e nadavam mais rápido do que todos os outros.

Os grandalhões das outras tripulações viviam fazendo piadas sobre as "nadadeirinhas" que o gnomos calçavam em seus "pezinhos" antes de cada exercício de natação. Mas aqueles baixinhos, vindos de cantos diferentes do país e do mundo, sempre riam por último, mostrando que podiam nadar mais rápido que qualquer um e chegar à praia antes de todos nós.

O treinamento do SEAL é um grande equalizador. Tudo o que importa é a vontade de vencer, e não a cor, a etnia, a educação ou a classe social.

Se você quer mudar o mundo, avalie as pessoas pelo tamanho do coração.

* * *

Várias vezes por mês, os instrutores alinhavam a classe e inspecionavam os uniformes. Era uma inspeção meticulosa e cabal. O quepe tinha que estar perfeitamente engomado, o uniforme, imaculadamente passado e a fivela do cinto, brilhante e sem uma mancha sequer.

Porém parecia que, por mais que nos esforçássemos para engomar o quepe, passar o uniforme ou polir a fivela, nunca atingíamos a perfeição. Os instrutores sempre encontravam "algo" errado.

Ao não ser aprovado na inspeção do uniforme, o aluno tinha que se atirar, totalmente vestido, na zona de arrebentação e depois, molhado da cabeça aos pés, rolar na praia até que cada pedaço do seu corpo estivesse coberto de areia. O efeito era chamado de "empanado de areia". Pelo resto do dia, o aluno ficava com aquele uniforme molhado e coberto de areia.

Muitos recrutas não aceitavam que seu esforço fosse em vão. Que, por mais que tentassem deixar o uniforme impecável, nunca eram reconhecidos. Esses não sobreviviam ao treinamento. Não entendiam seu propósito. Você nunca vai vencer. Você nunca vai ter um uniforme perfeito.

Às vezes, por mais que você se prepare ou por melhor que seja seu desempenho, você vai acabar como um empanado de areia. Assim é a vida.

Se você quer mudar o mundo, deixe de ser um injustiçado e siga em frente.

* * *

Todos os dias, durante o treinamento, éramos desafiados com muitos exercícios físicos: longas corridas, intermináveis atividades de natação, pistas de obstáculos e horas de ginástica, algo concebido para testar nossa determinação.

Cada exercício tinha suas metas, tempos que precisávamos atingir. Quem não conseguisse satisfazer esses padrões era inscrito numa lista e, no fim do dia, convidado ao Circo.

O Circo significava mais duas horas de exercícios destinados a nos esgotar, a quebrar nossa moral, a nos fazer desistir. O Circo significava que, naquele dia, você não tinha cumprido as metas. O Circo significava mais cansaço, e mais cansaço significava que o dia seguinte seria mais difícil e que mais Circos provavelmente viriam.

Mas, a certa altura do treinamento, todos – todos – acabavam na lista do Circo. E uma coisa interessante acontecia para aqueles que estavam constantemente na lista. Com o tempo, esses alunos, que tinham feito duas horas extras de ginástica, ficavam cada vez mais fortes. O sofrimento do Circo forjava uma força interior, construía uma maior resistência física.

A vida está cheia de Circos. Você vai fracassar. Provavelmente você vai fracassar com frequência. Isso desanima qualquer um. Às vezes, isso vai testá-lo na essência de seu ser.

Se você quer mudar o mundo, não tenha medo do Circo.

* * *

Pelo menos duas vezes por semana, tínhamos que percorrer a pista de obstáculos. Eram 25 obstáculos, incluindo um muro de 3 metros, uma escada de corda de quase 10 metros, uma cerca de arame farpado, para citar apenas alguns.

Mas o obstáculo mais difícil era o "Deslizar pela vida". Tinha uma torre de 9 metros, com três níveis, numa extremidade e uma torre com um nível na outra. Entre as duas estendia-se uma corda de 30 metros.

O aluno tinha que subir até o topo da torre mais alta e, uma vez lá, agarrar a corda e, trocando de mão, percorrer a corda até a outra extremidade. O recorde da pista de obstáculos já tinha anos quando minha classe iniciou o treinamento em 1977. Parecia um recorde imbatível, até que um dia um aluno decidiu "deslizar pela vida" mergulhando de cabeça.

Em vez de se movimentar com o corpo abaixo da corda, ele corajosamente montou na corda. Era um movimento perigoso, aparentemente bobo e de alto risco. Qualquer falha podia significar um ferimento e a expulsão do treinamento. Sem hesitação, ele deslizou pela corda perigosamente rápido, quebrando o recorde de anos.

Se você quer mudar o mundo, atire-se ao obstáculo de cabeça.

* * *

Durante a fase de guerra terrestre do treinamento, os alunos viajavam para a ilha de San Clemente, que fica na costa de San Diego. As águas de San Clemente são um criadouro dos grandes tubarões-brancos. O treinamento ali consistia em uma série de longos testes de natação. Um deles era o exercício noturno.

Antes da partida, os instrutores nos ofereceram um resumo das espécies de tubarões que habitam aquelas águas. Mas nos garantiram que nenhum aluno jamais fora devorado por um tubarão – pelo menos não recentemente.

Mas também ficamos sabendo que, se um tubarão começasse a nos rondar, devíamos manter nossa posição. Nada de nadar para longe. Nada de mostrar medo. E se, faminto por um lanchinho da meia-noite, um tubarão se lançasse na nossa direção, devíamos reunir todas as nossas forças e acertar-lhe um soco no focinho. Isso o faria dar meia-volta e se afastar.

Há muitos tubarões no mundo. Se você pretende continuar nadando, terá que enfrentá-los.

Se você quer mudar o mundo, não fuja dos tubarões.

* * *

Uma de nossas tarefas como SEALS da Marinha era realizar ataques submarinos contra navios inimigos. Praticamos essa técnica extensivamente durante o treinamento básico. A missão de ataque é realizada por dois mergulhadores, que são deixados nas águas de um porto inimigo e precisam nadar 2 quilômetros sob a superfície, usando apenas um tanque de oxigênio e uma bússola para chegar ao alvo.

Durante o nado, mesmo abaixo da superfície, alguma luz penetra nas águas. É reconfortante saber que existe um mar aberto sobre nós. Mas, quando nos aproximamos do navio, que está amarrado a um píer, a luz vai desaparecendo. A estrutura de aço do navio bloqueia a luz da lua e as lâmpadas da rua. Bloqueia toda a luz ambiente.

Para ter sucesso na missão, temos que nadar debaixo do navio e encontrar a quilha, a linha central na parte mais profunda do navio. Ela é nosso objetivo. Mas essa é também a parte mais escura, onde não se consegue enxergar um palmo diante do nariz, onde o barulho das máquinas é ensurdecedor e onde é fácil perder a orientação e fracassar.

Todo SEAL sabe que, debaixo da quilha, no momento de maior escuridão da missão, é preciso manter a calma e que todas as habilidades táticas, toda a força física e mental, devem ser postas em prática.

Se você quer mudar o mundo, dê o seu melhor nos momentos mais sombrios.

* * *

A nona semana de treinamento tem um nome: Semana Infernal. São seis dias sem dormir, de constante hostilidade física e mental, e um dia especial nos pântanos. Os pântanos são uma região entre San Diego e Tijuana, onde as águas refluem e formam redemoinhos, uma faixa de terreno pantanoso onde a lama nos engolfa.

Foi numa quarta-feira da Semana Infernal que remamos até o pântano e passamos as quinze horas seguintes tentando sobreviver ao lodo congelante, ao vento uivante e à incessante pressão dos instrutores nos incitando a desistir.

Quando o sol começou a se pôr naquele fim de tarde de quarta-feira, minha classe, tendo cometido alguma "grave infração das regras", recebeu ordens de entrar no pântano. A lama cobriu cada homem, até que a única parte visível era a cabeça. Os instrutores nos disseram que só poderíamos sair do pântano se cinco homens desistissem. Bastariam cinco homens e poderíamos nos ver livres daquele frio opressivo.

Quando olhei em volta, percebi que alguns alunos estavam prestes a abandonar a prova. Faltavam ainda oito horas para o sol nascer, mais oito horas de um frio de gelar os ossos. O barulho de dentes batendo e dos gemidos dos recrutas era tão alto que não se podia ouvir nenhuma outra coisa. E então uma voz ecoou pela noite, uma voz começou a cantar uma música. A voz era terrivelmente desafinada, mas cantava com grande entusiasmo. Outra voz se juntou à primeira, e duas se tornaram três, e logo toda a classe estava cantando.

Sabíamos que, se um homem podia resistir ao sofrimento, os outros também poderiam. Os instrutores nos ameaçaram com mais tempo dentro do pântano se continuássemos cantando, mas o canto persistiu. E de algum modo o lodo pareceu um pouco mais quente, o vento, um pouco mais fraco, e o amanhecer, um pouco mais próximo.

Se aprendi alguma coisa viajando pelo mundo, foi a força da esperança. A força de uma pessoa, de um Washington, Lincoln, King, Mandela e até de uma menina do Paquistão, Malala. Uma pessoa pode mudar o mundo dando esperança aos outros.

Se você quer mudar o mundo, comece a cantar quando estiver enfiado na lama até o pescoço.

* * *

Finalmente, no treinamento do SEAL existe um sino, um sino de metal que fica pendurado no centro do pátio, à vista de todos. Tudo o que um aluno precisava fazer se quisesse desistir do treinamento era tocar o sino. Toque o sino e não terá mais que acordar às cinco da manhã. Toque o sino e não terá mais que nadar nas águas geladas. Toque o sino e não terá mais que enfrentar as longas corridas, a pista de obstáculos, os exercícios físicos, e não terá mais que suportar o sofrimento do treinamento.

Basta tocar o sino.

Se você quer mudar o mundo, nunca, jamais, toque o sino.

* * *

Aos graduandos de 2014, devo dizer que vocês estão a um passo de se formar. A um passo de iniciar sua jornada pela vida. A um passo de começar a mudar o mundo para melhor. Não será fácil.

Comecem cada dia com uma tarefa concluída. Encontrem alguém que os ajude a atravessar a vida. Respeitem todas as pessoas. Saibam que a vida não é justa e que às vezes o fracasso é inevitável. Mas, mesmo correndo alguns riscos, sigam em frente quando os tempos forem difíceis, enfrentem os tiranos, ajudem os oprimidos e nunca, jamais, desistam. Se fizerem tudo isso, as próximas gerações viverão num mundo muito melhor. E o que começou aqui irá, de fato, mudar o mundo para melhor.

Muito obrigado, *Hook 'em Horns*.[4]

---

4. *Hook 'em Horns* é o slogan e o gesto de saudação que identifica a Universidade do Texas. O gesto lembra a forma da cabeça da mascote da universidade, um touro de longos chifres. (N.T.)

Agradecimentos

Gostaria de agradecer a minha editora, Jamie Raab, por sua paciência e compreensão. Você produziu um lindo livro, que, acredito, resistirá ao teste do tempo. Quero agradecer também a todos os amigos que concordaram em ser mencionados no livro. Sua coragem diante de terríveis adversidades me inspirou muito mais do que vocês conseguiriam imaginar.

Sobre o autor

O almirante William H. McRaven serviu a Marinha dos Estados Unidos com grande distinção. Em seus 37 anos como SEAL, exerceu o comando em vários níveis. Como almirante de quatro estrelas, seu último cargo foi o de comandante de todas as Forças de Operações Especiais. Hoje é reitor da Universidade do Texas.

Leia também:

**Acreditamos
nos livros**

Este livro foi composto em Adobe Garamond Pro e
Bliss Pro e impresso pela Gráfica Santa Marta para a
Editora Planeta do Brasil em abril de 2025.